KB096255

소개

첫 책 [감성크레마]에서는 취미로 홈카페를 하며 느낀 그 날의 감정을 쓰고 홈카페 메뉴들을 그렸다. 직접 디지털 드로잉하고 채색한 홈카페 일러스트와 함께 하루하루 느낀 것들을 정리한 그림 에세이 책이다. 내가 느낀 감정들이 어쩌면 다른 사람들도 느끼고 공감할 수 있는 것이라는 생각에 쓰게 된 책이다.

두 번째 책 [커양이다방]도 홈카페를 시작으로 글을 쓰게 되었다. 홈카페를 하며 생긴 카페 운영의 꿈을 이루지 못한 마음을 대변했다. 주인공 고양이가 카페를 열면서 일어난 일들을 이야기로 풀었고 종종 고양이의 습성들이 나오기도 한다.

세 번째 책 [혀끝에 갱상도]는 경기 서울 n년차 이지만 여전히 고치지 못한 경상도 사투리에 관한 내용이 들어있다. 경상도 억양과 말투 때문에 지나가던 아저씨에게 고향이 어디냐고 들은 적도 여러 번이니 말이다. 가끔 고향에 내려갈 때면 사투리가 들리는 것이 색다르게 느껴지지만 혀끝에 물들어 버린 나의 사투리는 끝끝내 고쳐지지 않을 것이다. 경상도 사투리가 신기하고 어려울 이들을 위해 글을 쓰게 되었다.

글쓴이 김지은

책 [감성크레마], [커양이다방], [혀끝에 갱상도]를 썼다.

하고 싶은 것도, 이루고 싶은 것도 많은 사람.
고양이, 인테리어, 홈카페, 사진, 여행, 커피, 공예, 아기자기한 모든 것 등 좋아하는 게 많은 사람.

instagram @jiddil
mail: hmrkhmrk@naver.com

혀끝에 갱상도

"거,

고향이 어뎁니꺼?"

경기, 서울 n년차이지만
여전히 고치지 못한
경상도 사투리에 관한 내용이 들어있다.
경상도 억양과 말투 때문에
지나가던 아저씨에게
고향이 어디냐고 들은 적도
여러 번이니 말이다.

다수의 티비 프로그램과 영화에 나오듯이
경상도 사투리는 억양이 쎄고
한번 들었을 때 귀에 박히는 말투를
가지고 있는 것이 특징이다.

본인은 전혀 사투리를 쓴다고 인식하지 못하지만
듣는 수도권 사람들 모두가
지방 사람이라는 걸 눈치챈다.

"올라온나, 올라온나. 마, 밑에 사람들
다 올라와가지고
극정 끼쳐 드리면 진짜 좋겠네!"
-드라마 [응답하라 1994]

"당분간 여 풀어놓을거는 제가 고마 다 드리겠심다.
대신에 저 배 쫌 태워주이소."
-영화 [마약왕]

"느그 서장 남천동 살재?'
-영화 [범죄와의 전쟁]

"내는 이리 생각한다. 힘든 세월에 태어나가
이 지옥 같은 세상 풍파를 우리 자식이 아니라
우리가 겪은 게 참 다행이라고."
-영화 [국제 시장]

"라면 묵을 걸 라면 묵다카지 짜파게티 묵다카까."

-영화 [바람]

본 책은 사전에 없는
실제 일상 사투리도 담고 있음을 알립니다.

가가가가?

'가'와 '어'만 있어도 어지간한 대화는 모두 통한다는 경상도.

경상도 하면 제일 유명한 사투리 중 하나가 아닐지 생각된다. 이제는 너무 유명해져서 모르는 사람이 드물 정도로 전국 패치가 되어버린 말이기도 하다.

'가가가가?'라는 말은 '그 아이가 그 아이니?'라는 말로 여기에서 '가'는 '그 사람', '그 아이'의 표현이라 볼 수 있다.

앵간하다

어지간하다.
여러 의미의 형용사이지만 경상도에서 사용되는 의미
는 일맥상통하는 경우가 많다. 기준에서 크게 벗어나지
않는 상태를 나타낼 때 사용한다.

앵간하면 니가 참아라.
어지간하면 네가 참아라.

'앵간해서는 소리 낮추지 말고 방송 잘 들어주이소.'

재래기

다른 지역에 가면 제일 헷갈리는 음식이기도 하다.

특히 타지역 여행, 출장 시 고깃집에서 점원에게 말했다가 이상한 눈길을 받기 십상이다.

재래기는 고깃집에 나오는 채소 무침, 즉 잎채소나 파를 절이지 않고 고춧가루와 양념에 무쳐낸 겉절이 음식이다. 표준어로는 상추 겉절이를 표현하는 말이다.

땅초

음식과 고깃집 하니 떠오르는 사투리가 또 있다.

'이모, 여 땡초 좀 주이소.'

요즘은 땡초김밥, 땡초OO 등등 여러 음식의 이름에 붙은 경우가 많아서 눈치로라도 금방 알아들을 수 있다. 땡초는 매운 고추를 의미하며 경상도에서 시작된 말이다.

까리하다

여태까지의 사투리를 다 알아 들으셨다면,

당신은 까리한 사람입니다.
당신은 '멋있는' 사람입니다.

언제부터 사용한 말이었는지 찾아보던 중에 알게 되었는데 이 말은 부산에서 처음 사용된 은어라고 한다. 너무 당연히 사용했던 말이라 어원을 찾아본 것은 처음이었다. 비슷한 말로는 '깔롱지다'가 있다.

피데기

반건조한 오징어를 일컫는 경상도 사투리.
'반건조 오징어'를 경상도에서는 단 세 음절로 말하면
된다. 이 단어를 못 알아듣는 사람은 없을 것이다.

오그락지

무말랭이를 고춧가루, 깨, 말린 고춧잎, 찹쌀 풀에 섞어 버무린 반찬이다.

생소하게 느껴질 수 있지만 무말랭이 반찬을 떠올리면 쉽게 알 수 있다. '오그락지'라는 말은 경상도 사람들 사이에서도 모르는 사람이 많지만 일부 '곤짠지', '곤지'라고 하면 알아듣는 사람이 있다.

갱시기

태어나서 경기 서울권으로 이동하기 전까지는 자주 보였던 음식 중 하나이다. 심지어 직장 식단표에서도 '갱시기'라는 단어가 심심치 않게 보였었다.

갱시기는 콩나물과 김치, 고기 등 여러 가지를 넣고 빨갛게 끓여낸 죽 같은 음식이다. 해장용으로도 제격인 이 음식은 시각적으로는 거부감이 들지만 한번 맛보면 또 생각나는 맛이다.

꼬시다

꼬숩다, 꼬시다
둘 다 많이 사용되는 말이다.
꼬숩다는 전라도 사투리이지만 경상도에서도 많이 사용돼서 어떤 사람은 경상도 사투리가 아닌가 할 수도 있을 것이다.

이번에 참기름이 꼬시가 이기 더 맛있다 아이가.
이번에 참기름이 고소해서 이게 더 맛있어.

찡기다

요즘 살이 많이 찌가 옷이 찡긴다.

어떠한 사물이나 물체, 좁은 틈 또는 사람 등의 끼임을
말한다. '찢이다'라고 오역할 수 있지만 '끼이다'의 의미
로 사용된다.

끼기다

니 그라다 거기 낑긴다.
너 그렇게 하다가 거기에 끼여.

벌어진 틈에 빠지지 않고 끼워진다는 말로 '찡기다', '낑기다'는 일맥상통하게 사용되기도 한다.

'칭기다'라는 말은 이러한 억양이 그대로 사용된 어투로 '치이다'라는 뜻이다.

꼬매다

어떠한 것을 바늘로 꿰맨다.
강원, 경기, 경상, 충북 등 여러 지역에서 사용하는 사투
리이다.

옷에 떨어진 단추 꼬매라.
솜이 터진 인형 좀 꼬매줘라.
아까 꼬맨 실밥이 터진 거 아이가.

등드리, 등어리

오늘따라 등드리가 간지러 죽겠다.
등드리 좀 긁어봐라.

등어리 부딪혔는데 멍든 거 같이 아프네요.
어제 운동 빡시게 했드마 등어리 땡긴다.

사투리에 익숙하지 않은 사람들은 이것을 '등에 난 여드름'이나 등허리를 잘못 표기 한 것 아니냐며 의아해한다. 등드리, 등어리는 '등'을 말하는 것으로 같은 표현이라 볼 수 있다.

모디다

너거 운동장에서 모디기로 했는데...
우리 모디가 있잖아.

맞혔는가?
쉽게 해석할 수 없을 것이라 예상된 사투리 중에 하나이다. 포털 사이트에 검색해도 제대로 나오지 않는 이 사투리는 문맥상 해석도 어려운 상황이다.

정답은, '모이다'이다.

저서

그거 저서서 갖다도.
그거 저어서 가져다줘.

매매

주방은 특히나 매매 닦아라.
밥 물 때는 항상 매매 무라.

'매매'라는 단어만 보고 매수, 매도 등의 의미로 봤을지
도 모른다. 하지만 경상도에서의 '매매'는 구석구석, 깨
끗이라는 뜻으로 사용된다. 청소나 식사 때 상당히 자
주 나오는 표현으로 심심치 않게 들을 수 있다.

끼리다

포털 검색창에서는 자동으로 '기리다'로 표시되어 버리는 표현. '끓이다'라는 뜻으로 기리는 것과는 아무 상관 없는 말이다.
그렇다고 낄는 물이라고 하지는 않는다.

물 좀 끼리라.
라면 한 봉 끼리라.

파이다

이건 자신 있지 !
하면서 파다, 파이다의 의미를 생각했다면,
유감스럽게도 아니다.

땅에 구멍이나 웅덩이가 파지고 나무 조각에 이름을 파
낸 것, 옷이 파인 것과는 전혀 다른 의미이다.
'별로다', '싫다' 등의 부정적인 의미로 사용된다.

이를테면,

이번에 나온 여자 있다 아이가.
난 영 파이다.

~한기라

있다 아이가.
내 좀 전에 빵집 갔다가 커피 쏟아서 미안한 기라.
그래가꼬 내 거서 빵 더 사왔다.

'~한 기라'는 '~한 거야'의 뜻이다.
여기에서 받침 자음이 파생되면 더욱 다양한 말로 사용
가능해진다. '~할 기라'라고 하면 '~할 예정이다'가 되는
것처럼 말이다.

~카던데

머스마 그기 지나가면서 카던데.
내가 눈이 커가 지 동생 닮았다고.

요즘은 '카더라'라는 말을 많이 사용해서 익숙할 것이
다. '카더라'는 정확한 근거 없이 추측성으로 여기저기
퍼진 소문을 말할 때 많이 사용된다.
하지만 경상도에서는 남의 말을 듣고 전해줄 때 '카더
라'로 많이 사용되며 불순한 의도와 소문과는 상관없을
때도 있다.

와글노

와글와글, 왁자지껄처럼 바글바글한 모습을 떠올린 사람이 있을 것 같다. 이 말은 하나의 단어나 부사로만 이루어진 말은 아니다.

여기서 '와'는 '왜'를 뜻하고
'글노'는 '그러니','그럴까'의 의미로 통한다.
실제로도 경상도 사람들과 대화하다 보면 '왜?'보다는 '와?'라고 더 많이 말한다.

자는 맨날 가방 디비든데 와글노.
쟤는 매일 가방을 뒤지던데 왜 그러는 거니.

엎히다

사전 검색에서 '얹힌다', '얹히다'는 매우 많은 뜻이 있다. 심지어 경상, 충청 방언이라며 '앉히다'의 표현이라고 나오기도 한다.
아래의 상황에서는 어떠한 의미로 사용되는지 맞혀보면 좋을 듯하다.

내 오늘 얹힌 거 같다.

병원이나 약국에서도 상당히 많이 쓰는 표현이다. 속이 얹힌 거 같고 더부룩하고 쓰린 거 같다고.

'나 오늘 체한 거 같아.'라는 의미이다.

가시개

강원도에서는 가우, 가왜, 까히, 까깨
전라도에서는 가새, 가시, 가세기
제주도에서는 그새, 가쉐, 가셍이
충청도에서는 가새, 가이
경기도에서는 가새, 가우
라고 하는 이것은 경상도에서는 가시개라고 하며 '가위'
를 뜻한다.

잠온다

최근 가장 충격적으로 다가왔던 사실 중의 하나였다.

'잠 온다'는 사투리였던 것이다.

한동안 주변인들에게도 떠들썩했던 이 말은 서울, 경기 권에서는 잘 사용하지 않고 주로 경상도에서 사용되는 것이었다.

'졸리다'가 표준어이며 이 말을 사용할 시, 경상도에서 는 '귀여운 척하네' 라고 생각한다. 반대로 서울권에서 는 '잠 온다'라고 하면 '귀여워 보이고 싶나'라고 생각한 다니 재밌다.

도빠

갑자기 웬 일본말이 나왔냐고 할 수 있지만 경상도 사투리이다. 중년 이상의 어른은 모두가 알아들을 정도로 정착된 말이다. 어원은 'Topper'에서 유래되어 일제 강점기 때의 발음을 그대로 가지고 온 케이스이다. 이 말은 사투리로 정착되어 실제 사전에도 등재되어 있다.
겨울철 두툼한 패딩 점퍼 정도로 생각하면 이해가 빠를 것 같다.

머스마, 가시나

응답하라 시리즈에서 가장 많이 나오는 말 중의 하나가 아닐까 싶다.

머스마가 그거 하나 못하노.
가시나가 하지도 모하면 댐비지 마라.

경상도뿐만 아니라 강원, 전라, 춘천에서도 많이 사용된다고 하니 주로 표준어를 사용하는 서울, 경기에서만 사용되지 않는 말이라고 해도 과언이 아니다.

~카노

니 지금 내한테 뭐라카노.
그때 말했다 안카나.
기억도 몬하고 와카노.
닌 와이카는데.

'~카노'는 '그러는데', '그렇게 하는 거야' 등등 그 상황적
의미에 녹아든다.

너 지금 나한테 뭐라고 하는 거야.
그때 말했었잖아.
기억도 못하고 나한테 왜 그래.
너는 왜 그러는 건데.

빼다지

거 빼다지에서 가시개 좀 가와라.

앞서 가시개는 나와서 익숙하지만 '빼다지'는 익숙지 않다.

'거기 서랍에서 가위 가져와.'

빼다지는 화장대나 책상, 장롱 등에 있는 서랍을 말하며 뺐다 끼웠다 할 수 있는 어떠한 것을 이야기한다.

아이다

어어어. 아이다.

경상도 사투리는 참 재미있는 것이 억양만으로도 다양한 의미를 품는다. 여기서 '어어어'는 '어-어/어-'의 높낮이로 부정의 의미를 나타내며 '아이다'는 어린아이를 표현하는 것이 아닌 '아니다'를 표현한 것이다.

아 맞나

니 그 주문 잘못 받았든데.

아 맞나. 클났네.

그거 손님한테 가가 다시 말해바라.

아 맞나. 그래야겠다.

드라마 '응답하라 1994'에서 전라도 사람과 싸움 장면에 나왔던 이야기가 있다. 말이 끝날 때마다 '아 맞나'로 되받아치던 장면.

사실 '아 맞나'는 추임새와 같은 것으로 경상도 사람들은 맞고 틀리고의 문제와는 다르게 일상적인 추임새 답변이라고 보면 된다.

단디

오늘 한파던데 옷 단디 입어라.
목도리랑 장갑해가 단디 챙기라.
정신 차리고 단디해라.
쉬기 전에 단디해놓고 가래이

확실하게, 제대로의 뜻을 가지고 있다.
비슷한 말로 '똑띠'는 '똑바로', '똑똑히'라는 뜻을 가지고
있다.

정구지

생각보다 다수의 지역에서 단번에 알아듣는 말이기도 하다. 이야기를 나누다가 도저히 '부추'가 떠오르지 않아서 정구지라고 했던 적도 있었다.

"얼어있던 꽃줄기가 꼭 풀죽은 정구지 같이 생겼더라구요. 거.. 그.. 정구지 아시죠?"

찌짐

경상권에서는 시장이나 식당의 간판, 메뉴에서도 많이 찾아볼 수 있는 찌짐.

정구지 찌짐, 배추 찌짐, 해물 찌짐 등 전이나 부침을 의미한다. 튀김이나 찜과는 다른 의미로 전에 한정해서 쓰는 경우가 더 많다.

일본의 '지지미'가 경상의 '찌짐'에서 전파되었다는 이야기도 있는데, 이는 재일 한국인 중에 경상도 사람이 많아서라는 추정도 있다.

쌔그럽다

이번에 포도는 너무 째그럽다.
저번에는 째그럽지도 않고 달달하이 맛있드만.
아따 째그럽네.

'째그럽다'는 '시다'의 의미로 주로 신맛이 나는 과일을 먹을 때 제일 많이 나오는 말이다. 몇 년 전에는 엑소 백현이 이 말을 사용해서 실시간 검색과 SNS를 장악했던 적도 있었다.

단술

단어만 보고서는 막걸리나 기타 술을 떠올렸을 것 같다. 하지만 경상도에서의 단술은 어린이도 먹을 수 있는 음식이다.

'단술'은 감주라는 말로도 사용되며 식혜를 뜻하는 말이다.

짧다

어우 이거 너무 국이 짭다.
이거 완전 소태야. 완전 짜.

한 티비프로그램에서 경상도 출신의 연예인들이 나와 이야기하던 장면이 있었다. 다들 '째그럽다'에 이어 사투리인지 몰랐던 말 중에 하나로 '짭다'를 꼽았다.
'짭다'는 '짜다'라는 의미로, '짜워'는 '짜'라는 말로 사용된다.

천지뻬까리

평상시에도 정말 많이 사용하는 말 중에 하나로 절대
고쳐지지 않는 말 중의 하나이기도 하다.

아니 왜 컵이 안보이노.
뭔말이고 여기 천지삐까린데.

입을 게 하나도 없네.
저 저 천지삐까리다.

너무 많아서 그 수를 헤아릴 수 없을 때 쓰는 말이다. 많
고 많음을 강조할 때 사용하는 말이다.

맹

내일도 맹 6시에 나온나.
알았다. 그럼 맹 거서 보재이.

'마찬가지, 역시 동일하게'
이러한 의미로 사용되는 '맹'은 경상도 사람 중에서도
모르는 사람이 있다. 나 또한 어릴 때 들어본 말인데 성
인이 되고 나서는 거의 들어보지 못한 말이다.

디인다

니 그래 먹다가는 혀 천장 다 디인데이.
손 그라지 마라. 그라다 손 디인다.

불이나 뜨거운 것에 살이 상하게 되는 것.
'데다'의 사투리로 '되다','디다'와 같은 힘듦의 상태를 나
타내는 사투리와는 다른 의미이다.

데피다

다른 비슷한 사투리로 '데우다'를 '데피다'라고 말한다.
예전 KBS 개그콘서트에서 경상도 사투리를 찰지게 말하며 웃음을 줬던 코너가 있었는데, 그 코너에서 상당히 많이 나왔던 말이기도 하다.
편의점에 갔던 한 경상도 남자가 말했던 대사이다.

"이것 좀 데파주세요!"

함부레

시댁에 갔다가 처음 들어본 말이었던 '함부레'.

에헤잇, 함부레 !
함부레 막 하지 마래이.

함부레는 '함부로', '아예'라는 뜻으로 앞일의 주의를 줄 때, 강력히 말하는 사투리라고 한다.

항금

오늘 옆짚에서 정구지를 항금 갖다줘가 그거 까니라고 정신이 없다 아이가.

오늘 옆집에서 부추를 너무 많이 가져다줘서 그거 까느라고 정신이 없었어.

'항금'을 말할 때는 주로 '하~앙금'이라며 '항'에 악센트, 즉 강조할 때가 많다. TV를 보다 보면 맛 표현을 할 때도, MC가 진행할 때도 악센트가 있듯이 '항금'에는 특히나 아주 아주 많음을 강조해서 말하는 경우가 많다.

인자

내 인자 역에서 출발한다. 좀만 기다려도.
나 이제 역에서 출발해. 조금만 기다려줘.

인자 이짝부터 동글배이 치바라.
이제 이쪽부터 동그라미 쳐봐

걸그치다

가는 일이 서툴러가 자꾸 걸그치기만 하지.
그 짝에 놓면 걸그친다 하는데도 자꾸 그라대.

걔는 일이 서툴러서 자꾸 걸리적거리기만 해.
그쪽에 놓으면 걸리적거린다고 말했는데도 자꾸 그러네.

거추장스럽게 자꾸 여기저기에 닿거나 방해하는 등의 일을 말한다. 경상도 안에서도 '걸그치다', '거실치다', '걸거치다'로 나뉘어 사용된다.

넘사시럽다

남에게 놀림과 비웃음을 받을 듯할 때 사용되는 말로 표준말로는 '남사스럽다' 이다. '넘사'로 시작해서 '넘사벽'과 같은 줄임말로 착각하기 쉽지만 '망신스럽다', '창피하다'와 같은 유의어라고 볼 수 있다.

공구다

그 밑에 좀 제대로 공가라. 빠질라칸다 아이가.
그 밑에 제대로 괴라. 빠지려고 하네.

아 쫌 느그들 내 고마 공가라 !
아, 제발 너희들 나 그만 공격해 !

경상도에서는 두 가지 뜻으로 사용되는 '공구다'.
어떠한 물체를 어디에 기대거나 버티게 세운다는 뜻과
구석으로 몰아넣거나 꼼짝 못 하게 한다는 뜻이 있다.
후자의 뜻 같은 경우에는 상황적으로 불리하고 곤란하
게 만들 때 사용하기도 한다.

문때다

그래가 대겠나. 거 말고 여 빡빡 문때라.
그렇게 해서 되겠니. 그쪽 말고 이쪽을 빡빡 문질러.

'문때다'를 '닦는다'라고 해석하는 사람들도 있지만 그것
보단 '문지른다'라고 해석하는 것이 올바르다. 아무래도
문질러 닦아내는 것까지 생각하여 그 의미로도 사용된
다. 하지만 '문때다'는 청소나 닦아내는 것을 제외한 다
른 말에서도 사용되기 때문에 '문지른다'가 맞는 표현이
라고 본다.

~까

리모콘 좀 도.
거 발까 가오지 말고 손까해라.
드럽구라 발까 자꾸 그라노.

여기서 발'까'는 발'가지고', 발'로'의 사투리 언어이다.

리모컨 줘.
그 발로 하지 말고 손으로 가져와.
더럽게 발 가지고 자꾸 그래.

개비다

'개다'라는 표준어로 사용되는 '개비다'.

어여 저 빨래 있는 거 개비나라.
안 그라믄 또 꾸기짓다고 난리친다.

저기 저 빨래 개어 정리해 놓아.
안 그랬다간 또 구겨졌다고 난리 칠 거야.

애비다

아이고 오랜만에 봤드만 와이리 애빘노.
니 진짜 애비다.

여기서 '애비다'는 '아비', 즉 '아빠'의 낮춤말로 사용되는
것이 아니다. 조부모님께서 아버지를 부를 때 '애비야'
라고 부르기도 하는데, 이때의 '애비다'는 '야위었다', '말
랐다'의 뜻이다.
'날씬하다' 와는 다르게 조금 부정적인 느낌으로 사용되
며 보기 싫을 정도로 말랐거나 핼쑥해 보일 때 사용된
다.

아이고 오랜만에 만났는데 왜 이렇게 야위었어.
너 정말 말랐다.

칭구다

내 얼마 전에 티비 보는데 오도바이가 사람 칭구고 지나가더라니까. 얼마나 무스벘는지 계속 생각나가 잠을 못 자겠드라.

나 얼마 전에 티비 보는데 오토바이가 사람 치고 지나가더라. 얼마나 무서웠는지 계속 생각이 나서 잠을 못 자겠어.

경상도 사투리로 '칭구다'는 '친구'가 아니라, '치다'를 말하는 것이다.

뿌라지다

'부러지다'의 경상도 사투리로 또 다른 말로 '뿌사지다'
라고도 사용한다.

연필을 그래 꾹 눌러쓰면 뿌사진데이.
연필을 그렇게 꾹 눌러쓰면 부서진다.

느그 복도에서 그리 뛰댕기다가 다리 뿌라진다 마.
너희 복도에서 그렇게 뛰어다니다가 다리 부러진다.

깔롱지다

자 오늘 대단히 깔롱직이네.
쟤 오늘 엄청 멋 부리네.

옷매무새나 외모를 신경 쓰며 멋 부린다는 말을 표현하
며 여기서 '깔롱'은 '멋'을 뜻한다.
과거 부산 사람이 경기도에 카페를 차리며 '깔롱커피'라
고 이름을 지어서 많은 사람이 어떤 의미인지 물어봤다
고 한다. 지금은 이 사투리가 전국적으로 유행처럼 번
지며 경상도 출신이 아니어도 아는 사람이 많아졌다.

널찌다

널빤지, 널뛰기.. 널다, 넓다...
이런 것들을 떠올릴 수도 있다.
하지만 전혀 다른 의미가 있어서 더 놀라운 사투리이
다.

야야, 아 그래 안으면 널쫀다.
얘야, 애를 그렇게 안으면 떨어뜨린다.

느그 그래 놀다가 거서 널찐다.
너희 그렇게 놀다가 거기서 떨어져.

욕보다

경상도에 있으면 정말 많이 듣는 말이라고 해도 과언이
아니다. 어떠한 일을 하고 마무리를 지을 때 하는 말로 '
수고했다', '고생했다'라는 의미이다.
경상도를 벗어나서는 들을 일이 없었지만, 고향에 내려
가면 많이 들려오는 말이기도 하다.

여까지 오느라 욕봤데이.
여기까지 오느라 수고했어.

금마 거서 일할 때 억수로 욕봤다 아이가.
걔 거기서 일할 때 엄청나게 고생했지.

우리하다

'우리하다'를 발음할 때 경상도 사람만의 억양도 한몫한다. '우~리하다'가 아닌 '우리~하다'라고 '리'의 음절을 길게 빼며 말한다.

욱신거리며 멍든 것처럼 아리거나 통증이 있을 때 하는 말이다. 특히 병원에서 굉장히 서로 간에 많이 쓰이는 말로 '우리하다'라고 표현하면 어떠한 통증으로 느껴지는지 의사도 이해할 정도이다.

의사 쌤, 무릎 있는 데가 우리~하이 아프면서 일어서가 뭘 하질 못하겠다 아임까.

의사 선생님, 무릎 쪽이 욱신거리고 아파서 일어서 있지를 못하겠어요.

고디

'고디'는 '다슬기'의 대구 방언이다.

경상도에서는 민물에 사는 다슬기, 우렁이 등을 '고디', '고둥'이라고 한다. 계곡이나 강 주변에 많이 서식하고 있어서 어릴 적 물놀이를 하며 잡으러 다녔던 기억이 있다.

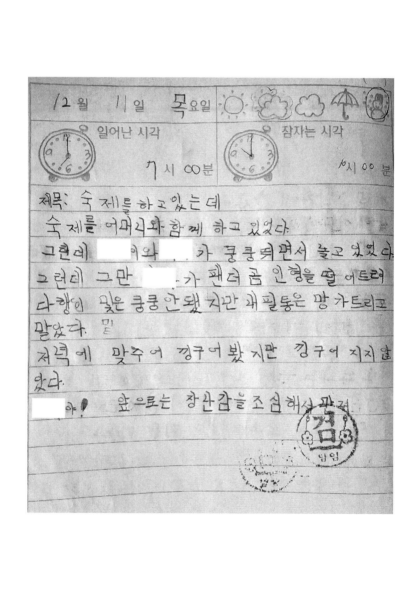

12월 11일 목요일 ☀️ ☁️ ☁️ ☂️

일어난 시각	잠자는 시각
7시 00분	10시 00분

제목: 숙제를 하고 있는데

숙제를 어머니와 함께 하고 있었다

그런데 ▮▮▮이와 ▮▮가 쿵쿵뛰면서 놀고 있었다

그런데 그만 ▮▮▮가 팬더곰 인형을 떨어트려

다행이 맞은 쿵쿵안됐지만 색연필통은 망가트리고

말았다. 밈

저녁에 맞추어 껑구어봤지만 껑구어지지않

았다.

▮▮야! 앞으로는 장난감을 조심해서 관리

제목 : 숙제를 하고 있는데
엄마와 함께 숙제를 하고 있었다.
그런데 동생들은 옆에서 쿵쿵 뛰며 놀고 있었다. 그러다 그만 동생이 판다 인형을 떨어트려버렸다.
다행히 밑으로는 소리가 나지 않았지만 내 필통이 망가졌다. 저녁에 그 필통을 끼워 맞춰 보았지만 되지 않았다.
앞으로는 장난감을 조심해서 만져줘!

–

초등학교 1학년 때 쓴 일기이다. (윗글은 가독성을 위해 다시 적은 내용이다.)
맞춤법이 완벽하지 않은데, 중간에 사투리가 들어가 있어서 넣어 보았다. 마지막 문장 위를 보면 '끼워'를 '낑구어'라고 썼었다.
매일 듣는 사투리에 익숙해져 당연히 맞는 말이라 생각했던 8살의 나였다.

그리고, 저녁을 먹었다.

떡볶이, 찌짐, 간장, 오이무침등 많이 먹고 후식도 먹었다.

후식은 무엇이냐 하면 수박 이엿다.

우리친척은 맛있게 수박을 먹었 다.

그리고 저녁을 먹었다.
떡 불고기, 찌짐, 간장, 오이무침 등.
잔뜩 먹고 후식도 먹었다.
후식은 수박이었다.
온 가족들은 수박을 맛있게 먹었다.

–

마찬가지로 가독성을 위해 다시 적었다.
초등학교 1학년의 일기에서 '찌짐'이라는 단어를 사용
한다. '부침개'라는 단어보다 '찌짐'을 더 많이 들으며 자
랐던 것이다.

실전 퀴즈

1. 발까 이래이래 문때라.

2. 항금 데파있다 아이가.

3. 피데기는 땡초에 마요네즈 뿌리면 맛있드라.

4. 앵간하믄 끼리무라.

5. 단술은 매매 저서야 댄다카이.

6. 문에 이거 낑가가 공가나라.

7. 인자 걸그치니까 마 가라.

8. 맹 그도 쌔그럽다.

9. 금마 우리하다 카드만 결국 뿌라짓는 갑네.

10. 에헤이, 함부레! 널찐데이.

정답은 뒷면에 →

정 답

1. 발로 이렇게 문질러라.

2. 엄청 많이 데워놨어.

3. 반건조 오징어는 청양고추에 마요네즈를 뿌리면 맛있더라고.

4. 어지간하면 끓여 먹어.

5. 식혜는 구석구석 저어야 해.

6. 문에 이거 끼워서 고정해.

7. 이제 걸리적거리니까 가줘.

8. 마찬가지로 그것도 셔.

9. 걔 욱신거린다고 하더니 결국 부러졌나 보네.

10. 어휴, 함부로 그러지 마! 떨어져.

에필로그

최근 SNS를 통해 '2의 2승, 2의 e승, e의 2승, e의 e승'
을 경상도인들만 구분할 수 있다는 사실을 접하고 지인
들과 이에 대해 대화한 적이 있었다. '어디까지 올라가
는 거예요?'를 말해보라고 시키는 사람도 있었고, '블루
베리 스무디'의 억양을 보며 신기해하는 사람도 있었다.
이처럼 최근까지도 경상도 사투리에 대한 사람들의 호
기심은 끊임없다는 것을 느끼게 되었다. 사투리에 관련
된 책을 써서 사람들의 볼거리도 제공해 주면 좋겠다고
생각하여 기획한 책이다.

경기 서울권에서 경상도 사람으로 사는 것은 얼굴에 '나 경상도 출신'이라고 붙이고 다니는 것과 같다. 나를 가만히 지켜보던 행인이 말을 걸어올 정도니 말이다. (꿈에도 몰랐던 상황이었다.) 그분은 경상북도 김천 출신이셨는데 타지에서 듣는 경상도 사투리를 반가워하시며 말 걸어 주신 분이었다. 어쩌면 내가 고치고 싶었지만, 고칠 수 없었던 경상도 사투리가 누구에게는 반가움이었을지도 모른다고 생각하니 기분이 묘했던 기억이 있다.

"말 들어보이께네

갱상도지요?"

도서명 | 혀끝에 갱상도
발 행 | 2024.01.25
저 자 | 김지은
펴낸이 | 한건희
펴낸곳 | 주식회사 부크크
출판사등록 | 2014.07.15(제2014-16호)
주 소 | 서울특별시 금천구 가산디지털1로 119 SK트
윈타워 A동 305호
전 화 | 1670-8316
이메일 | info@bookk.co.kr

ISBN | 979-11-410-6684-0
www.bookk.co.kr